Chers amis rongeurs,
bienvenue dans le  de

Geronimo S

GERONIMO STILTON

TÉA STILTON

BENJAMIN STILTON

TRAQUENARD STILTON

PATTY SPRING

PANDORA WOZ

CHACAL

Texte de Geronimo Stilton.
*Basé sur une idée originale d'*Elisabetta Dami.
Coordination des textes de Lorenza Bernardi.
Coordination éditoriale de Patrizia Puricelli.
Édition de Benedetta Biasi.
Collaboration éditoriale de Luca Speciani, *docteur en sciences de l'agriculture et consultant en nutrition ;* Attilio Speciani, *médecin spécialiste en immunologie et allergologie ;* Pietro Trabucchi, *psychologue du sport ;* Andrea Olivi, *entraîneur d'athlétisme ;* Antonella Carini, *docteur en sciences de l'information.*
Remerciements au docteur Carla Lertola *et à* Pia Waldthaler.
Coordination artistique de Roberta Bianchi.
Assistance artistique de Lara Martinelli *et* Tommaso Valsecchi.
Couverture de Giuseppe Ferrario.
Illustrations intérieures de Lorenzo Chiavini *(dessins) et* Giulia Zaffaroni *(couleurs).*
Cartes : Archives Piemme.
Graphisme de Michela Battaglin *et* Marta Lorini.
Traduction de Titi Plumederat.

Pour approfondir le sujet : Attilio Speciani, Luca Speciani, Pietro Trabucchi, *Lo zen e l'arte di far muovere i nostri figli,* Tecniche Nuove, 2008.

www.geronimostilton.com

Pour l'édition originale :
© 2008, Edizioni Piemme S.p.A. – Corso Como, 15 – 20154 Milan, Italie
sous le titre *Datti una mossa, Scamorzolo !*
International rights © Atlantyca S.p.A. – Via Leopardi, 8 – 20123 Milan, Italie
www.atlantyca.com – contact : foreignrights@atlantyca.it
Une première édition gratuite non commercialisée de ce titre est parue en juin 2012 et a été distribuée dans les points de vente participant à une opération promotionnelle Geronimo Stilton.
Pour l'édition française :
© 2012 et 2014, Albin Michel Jeunesse – 22, rue Huyghens, 75014 Paris
www.albin-michel.fr
Loi 49-956 du 16 juillet 1949 sur les publications destinées à la jeunesse
Dépôt légal : premier semestre 2014
Numéro d'édition : 19351
ISBN-13 : 978 2 226 25251 7
Imprimé en France par Pollina S.A. en janvier 2014 - L67203

Geronimo Stilton

DÉPÊCHE-TOI, CANCOYOTE !

ALBIN MICHEL JEUNESSE

21 MARS : C'EST LE PRINTEMPS !

On était le 21 mars au matin. Le *printemps* était là. Vous savez, chers amis rongeurs, *d'habitude*, j'adore cette période de l'année : la température est déjà douce, les *oiseaux* chantent sur les

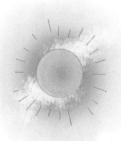

branches et des **FLEURS**

colorées éclosent dans les prés. Et puis les journées commencent à s'**allonger** et...

Oh, excusez-moi, je ne me suis pas présenté. Mon nom est Stilton, *Geronimo Stilton*.

Je suis le directeur de *l'Écho du rongeur*, le journal le plus célèbre de l'île des Souris.

Je disais donc que le printemps commençait, et que d'habitude j'en étais très HEUREUX !

Mais pas cette année-là.

Contrairement à mon habitude, JE N'ÉTAIS PAS HEUREUX !

Vous voulez savoir **pourquoi** ? Vous voulez savoir pourquoi cette nouvelle me rendait triste ?

Vous voulez savoir **pourquoi** j'étais préoccupé ?!

D'accord. Installez-vous confortablement. Je vais vous raconter…

TU NOUS EMMÈNES EN VACANCES EN AUSTRALIE ?

Pour bien comprendre mon état d'esprit *attristé* (ou plutôt ᵖʳéᵒᶜᶜᵘᵖé... ou plutôt TERRORISÉ !) de ce 21 mars, vous devez connaître les événements qui s'étaient déroulés au bureau la veille. *Voici donc ce qui s'était passé !*

Ce matin-là, Benjamin entra dans mon bureau avec son amie Pandora Woz (la nièce de Patty Spring).

– Salut, tonton ! J'ai une nouvelle assourissante ! Dakota Spring, l'oncle de Pandora, nous a tous invités en Australie ! On y va ?

Pandora ajouta en souriant :

– Il faut que tu viennes, oncle G, il y aura Patty !

Je ne savais pas quoi répondre, sauf :

– Euh… Je… L'Australie, c'est très loin et…

C'est alors qu'**ARRIVÈRENT** ma sœur Téa, Patty Spring et mon cousin Traquenard.

– Loin, loin, faut pas exagérer, cousinâtre ! dit celui-ci. Ça fait quoi ? **DEUX HEURES D'AVION !**

– Mais… en fait, c'est toute une journée de voyage ! répondis-je.

Téa intervint :

– Allez, Gerry !

Téa m'appelle toujours « Gerry » quand elle veut me convaincre de faire quelque chose.

Elle poursuivit :

– Tu te rends compte ? Nous pourrons voir des **kangourous**, des koalas, des **crocodiles**…

J'écarquillai les yeux et balbutiai :

– Des croc… croc… des crocodiles ?

Patty me fit un clin d'œil.

– Mais oui, G ! Tu as bien entendu : des crocodiles. Ne t'en fais pas, il suffit de ne pas les embêter et ils ne te font pas de mal !

Patty m'appelle toujours G... c'est une rongeuse vraiment charmante !

Je me mis à **TRANSPIRER**. Et ce n'était pas à cause de la chaleur, mais parce que je savais déjà comment ça allait se terminer. Et en effet...

– Bien ! C'est décidé ! Nous partons tous en VACANCES en Australie. LE SOLEIL, LA MER, l'aventure ! conclut Téa.

Benjamin et Pandora se mirent à sautiller dans le bureau.

– Hourra ! On part en vacances au bord de la mer !

Je bougonnai un peu :

– Mais... mais... et le journal ? Comment je fais pour le journal ? Je ne peux pas m'en éloigner trop longtemps !

Patty trouva aussitôt la solution :

– Tu sais, avec les téléphones satellitaires, les fax et les ordinateurs portables, on peut continuer à travailler au bout du monde, G ! Et puis quelques vacances et un peu de mouvement ne peuvent que te faire du bien. D'ailleurs, pour être sincère...

J'étais intrigué.

– Oui ? Dis-moi tout, Patty.

– Oh... rien, G. Sinon, tu vas te vexer. Il vaut mieux que je ne te le dise pas.

J'écarquillai les yeux.

– Moi, me vexer ?! Allons donc ! Tu peux tout me dire, Patty !

Et elle :

– Crois-moi, il ne vaut mieux pas.

Et moi :

–Patty, tu plaisantes ou quoi ? Entre amis, on peut tout se dire ! Ne t'inquiète pas !

Patty haussa les épaules.

–C'est bon, si tu insistes ! Ce que je voulais te dire, c'est que je trouve que tu as un peu grossi ! Ce qu'il te faudrait, c'est justement des vacances avec du mouvement.

Je rougis comme une tomate.

–**GROSSI ?! MOI ?!**

Je trouve que tu as un peu grossi…

JE SUIS UNE SOURIS INTELLECTUELLE, MOI !

Voilà donc ce qui s'était passé…

Et ainsi, comme je vous le disais, le matin du 21 mars, je me levai préoccupé. Avais-je vraiment grossi tant que cela ?

Je me regardai dans un miroir et pris ma respiration.

Puis je pivotai : profil droit, profil gauche. Oui, j'avais grossi.

Je décidai de me peser, en espérant m'être trompé… Mais l'AIGUILLE de la balance me donna la réponse définitive : 90 KILOS ?!

Dix kilos de plus que la dernière fois que je m'étais pesé…

Patty avait raison !

Je repensai à l'hiver qui venait de se terminer : qu'avais-je fait de si terrible pour prendre autant de kilos ?

J'énumérai mentalement…

1) J'avais beaucoup mangé, surtout des GÂTEAUX et des LASAGNES (ah, les lasagnes de tante Margarine ! SLURP ! Rien que d'y penser, j'en avais l'EAU à la bouche !). Que pouvais-je y faire ? L'hiver, on a tendance à manger davantage, et des plats plus lourds !

90 KILOS…

… de face !

… profil droit !

2) Je n'avais presque pas bougé : j'avais peu **MARCHÉ** et je n'étais jamais allé au gymnase (ma **carte** de fidélité, encore intacte, en était la preuve !).
Au moins, les années précédentes, j'allais parfois au bureau à **bicyclette** !

Bref, j'avais passé un hiver très **paresseux** !
Mais que pouvais-je y faire ? Je suis un gars, *ou plutôt un rat*, très paresseux ! Je suis une souris

... profil gauche !

... 10 kilos de plus !

intellectuelle, moi. Le mouvement, ce n'est pas pour moi !

Bon, il me suffirait de mettre une **CEINTURE ABDOMINALE**, et tout s'arrangerait…

ET TOI ? ES-TU PRÊT POUR L'ÉPREUVE DU MAILLOT DE BAIN ?!

J'allumai la **télévision**. Une rongeuse très sportive (et très en SUEUR) pédalait sur un vélo d'appartement et disait, tournée vers la caméra :
– Et toi ? Aouff, aouff… Es-tu prêt pour l'épreuve du maillot de bain ?! Aouff, aouff… Ou as-tu encore de la couenne de lard sur le ventre ? Aouff, aouff… Fais comme moi ! Appelle le…
J'éteignis la télévision, de MAUVAISE humeur.
J'entrai dans la salle de bains, allumai la radio et une voix guillerette hurla dans mes oreilles :
– Aujourd'hui, c'est le premier jour du PRIN-TEMPS !!! Tu es heureux ? Tu as déjà réservé tes vacances ? Mais, surtout : es-tu prêt à exhiber ton physique sur la plage ?!

Excédé, j'éteignis le poste. Comment se fait-il que lorsqu'on a une idée **fixe** dans la tête tout semble conspirer contre nous ? Zut ! Je sortis de la salle de bains (d'une humeur massacrante) et allai m'habiller dans ma chambre.

Pour la première fois, je remarquai que j'avais du mal à fermer mon **pantalon**.

Mon gilet me comprimait le ventre.

Avais-je vraiment grossi tant que cela ?!

À cet instant, la **sonnette** de la porte retentit.

– Bonjour, monsieur Stilton ! J'ai une **publicité** pour vous, dit le facteur.

Je pris le papier qu'il me tendait et lus :

*TU T'ES LAISSÉ ALLER
PENDANT L'HIVER ?*

*TU T'ES GOINFRÉ À DROITE
ET À GAUCHE EN PENSANT
QUE TU T'EN TIRERAIS ?*

*ET MAINTENANT TU
T'APERÇOIS QU'IL FAUT
TROUVER UN REMÈDE ?*

EH BIEN,
NOUS AVONS LA SOLUTION
À TES SOUCIS.

APPELLE-NOUS
ET TU RECEVRAS GRATUITEMENT
L'ANALYSE DE TA GRAISSE !

– ÇA SUUUUUFFIIIIIIIT !!!!!!

Je me tournai vers la fenêtre et découvris mon image reflétée par le carreau : mon ventre avait l'air de déborder de mon pantalon et de mon gilet. C'était vraiment trop !

Je me **PRÉCIPITAI** sur le téléphone, décrochai et composai un numéro, en regrettant déjà ce que j'étais en train de faire…

SALUT,
CANCOYOTE !

« Pourquoi l'ai-je appelé ? » pensais-je tandis que le téléphone sonnait.

– Salut, Cancoyote ! Quelle surprise ! Laisse-moi deviner… Tu t'es enfin décidé à venir participer avec moi à la mythique COURSE LESTÉE DANS LA JUNGLE DE BORNÉO, avec ses 98 % d'humidité ! Hein ? Avoue ! Ha, haa, haaa !

Vous aurez déjà compris que le rongeur à l'autre bout du fil était mon ami **Chacal*** !

Chacal est un gars, *ou plutôt un rat*, hypersportif, hyperénergique et hyperentraîné. Il est baraqué comme une armoire à glace, compact comme un artichaut, musclé comme un culturiste.

Il a fait du Défi (avec un « D » majuscule) le but

* Si vous voulez en savoir plus sur Chacal, lisez : *Comment devenir une super souris en quatre jours et demi, Le karaté, c'est pas pour les ratés !, Le vélo, c'est pas pour les ramollos ! Le Kilimandjaro, c'est pas pour les zéros !*

Mon ami CHACAL m'a entraîné dans ses aventures extrêmes...

... LE MARATHON DU SIÈCLE...

... L'ASCENSION DU KILIMANDJARO...

... LA RACE ACROSS AMERICA...

SDENG!

... LE CHAMPIONNAT DU MONDE DE KARATÉ !

de son existence : pour lui, vivre, c'est se mettre en permanence à l'épreuve.

Mais il y a un problème : chaque fois qu'il se lance un défi, il faut qu'il m'y associe, **MOIIII** !

Je me mis à avoir des sueurs **FROIDES**. « Pourquoi l'ai-je appelé ? » pensai-je.

– Euh… à vrai dire, Chacal, je t'appelle parce que j'aurais besoin de ton aide…

Chacal *éclata* d'un rire tonitruant :

– Ha, haa, haaa ! Mais bien sûr, *Cancoyote* !

(Ah, j'avais oublié de vous dire que Chacal m'appelle toujours comme ça !)

Il poursuivit :

– Dis-moi ! Je suis tout ouïe ! Tu sais bien que tu peux toujours compter sur ton Chacal ! Hein ? Pas vrai, que tu le sais ? *Cancoyote !* On s'est beaucoup **amusés** ensemble, hein ? Beaucoup ! Dismoi : sur une échelle de 1 à 10 !

« Pourquoi l'ai-je appelé ? » pensai-je.

– *EHHH !* Tu ne me réponds pas, *Cancoyote* ?

Avoue, en pensant à nos aventures, tu t'es attendri ! Alors ?

– Eh bien, voilà... je serais plutôt... Hem...

– *Hem... u ???* Tu veux dire que tu es « ému » ? Au souvenir de nos entreprises, tu es encore ému ? **Cancoyote...** tu es un véritable ami ! Je suis fier de toi !

« Non ! Même maintenant ? » me dis-je en moi-même.

Heureusement, Chacal m'encouragea :

– Mais dis-moi : en quoi ton ami Chacal peut-il t'être utile ?

JE SERAI
TON P.T.C.

Je pris mon courage à deux pattes et débitai sans reprendre ma respiration :

– J'aibesoinquetum'aidesàperdrequelqueskilos !

SILENCE.

– Chacal ? Tu es là ?

SILENCE.

– Tiens… la ligne est en dérangement…

– **C'EST TOI QUI ES EN DÉRANGEMENT, CANCOYOTE !** Bien sûr que je suis là ! Tu n'as rien d'autre à me demander ?! La réponse est OUI ! Je te promets que tu vas ressembler à un *mannequin*, et plus à un *épouvantail* ! Ha, haa, haaa ! Alors c'est décidé, je serai ton P.T.C., c'est-à-dire ton **Personal Trainer de Cancoyote** ! On se voit chez toi demain matin à 6 heures !

– À **6** heures ? Mais... mais... je... en fait, j'ai des choses à faire...

CLIC !

Chacal avait déjà raccroché sans m'écouter. Je n'avais pas le choix... Je raccrochai à mon tour et me donnai une **TAPE** sur le museau.

6 HEURES : BRANLE-BAS DE COMBAT, CANCOYOTE !

Le lendemain matin, le réveil sonna à 5 h 55 (je l'avais **réglé** à cette heure-là pour pouvoir dormir jusqu'au dernier moment).

Les **YEUX** à moitié fermés, je me traînai jusqu'à l'armoire pour enfiler mon survêtement.

Au même moment : DRIIING !!!

Les yeux toujours fermés, je me dirigeai vers le rez-de-chaussée pour aller ouvrir la porte d'entrée.

J'arrivai en **bas** de l'escalier, j'ouvris la porte et Chacal me salua en souriant :

– **Branle-bas de combat, Cancoyote !** Il est 6 heures ! Il est temps de se mettre en mouvement !

Ça ne te remonte pas à bloc, cette *merveilleuse* matinée de printemps ?!

À dire vrai, je ne savais même pas *qui* j'étais.

Chacal poursuivit :

– Qui ne dit mot consent.

Bien, j'imagine que tu as déjà pris un copieux **petit déjeuner** !

Je secouai la tête.

– En fait, j'ai dormi jusqu'au

dernier moment. De toute façon, je n'ai pas faim. **D'HABITUDE, LE MATIN, JE NE MANGE JAMAIS RIEN.**

Chacal devint brusquement très sérieux.

– **C'EST MAL !** Très mal, Cancoyote ! Tu dois perdre cette mauvaise habitude ! Suis-moi à la cuisine !

Pain grillé

Jus d'orange

Fruits frais

Part de tarte

Bol de lait aux céréales

DANS UN PETIT DÉJEUNER COMPLET...

... doivent être toujours présents:
► des fruits frais ou un jus de fruits;
► une tasse de lait ou un yaourt;
► des biscuits, ou un bol de céréales, ou une part de tarte, ou des biscottes avec de la confiture.

PREMIÈRE LEÇON : UN BON PETIT DÉJEUNER !

Chacal se mit au travail dans ma cuisine, aussi efficace qu'une **abeille** ouvrière.

Cependant, il m'expliquait :

– *GERONIMO, LE PETIT DÉJEUNER EST TRÈS IMPORTANT !* Pour commencer, quand tu te lèves, tu es à jeun depuis au moins onze ou douze heures. Pour « **réveiller** » ton corps, tu dois

donc lui donner un peu de carburant… c'est-à-dire que tu dois **manger** ! Tu n'as pas remarqué comme tu étais endormi quand tu es venu m'ouvrir la porte ?

Je réfléchis un moment : en effet, je me sentais très **FATIGUÉ** ! Et ce n'était pas seulement parce qu'il était tôt (après tout, il était à peine 6 heures !).

J'avais l'impression d'être une **MACHINE** qui a du mal à se mettre en marche !

Chacal me fit un clin d'œil et continua :

– Je vais te préparer un petit déjeuner **sain** et complet, qui doit comporter :

▶ des fruits frais ou un **JUS DE FRUITS** ;

▶ une tasse de lait ou un **yaourt** ;

▶ des **BISCUITS** ou un bol de céréales, ou une part de tarte, ou des biscottes avec de la confiture.

Je **REGARDAI** toutes les bonnes choses que Chacal avait disposées sur la table. Je me léchais déjà les moustaches : mon estomac était en train de s'ouvrir pour laisser place à... **UNE FAIM ASSOURISSANTE !**

Chacal poursuivit :

– Maintenant, voici quelques idées si tu veux varier ton petit déjeuner :

A) 1 pomme + 1 tasse de lait + 2-3 tartines de *beurre* et de miel ;

B) 1 verre de jus d'*orange* + 1 bol de lait + 1 bol de céréales ;

PETIT DÉJEUNER A

PETIT DÉJEUNER B

C) 3 abricots + 1 **tasse** de thé avec une cuillerée de miel + 1 yaourt + 3 biscuits ;

D) 1 grappe de *raisin* + 1 tasse de lait + 2-3 biscottes avec de la confiture.

PETIT DÉJEUNER C

Ceux qui pratiquent un sport doivent ajouter à leur petit déjeuner quelques protéines (comme des œufs, de la charcuterie, des noisettes et des amandes, une lichette de fromage).

PETIT DÉJEUNER D

Seulement
DEUX KILOMÈTRES !

Enfin, Chacal et moi fûmes prêts pour affronter la nouvelle journée.

– Cancoyote, nous allons sortir. Destination : le parc. C'est là qu'aura lieu notre première leçon d'entraînement.

Je demandai (en vrai nigaud) :

– D'accord ! Comment faisons-nous ? On prend la voiture ?

Chacal me regarda d'un air grave.

– À partir d'aujourd'hui, tu oublies la voiture ! C'est un ordre ! Ou plutôt : c'est un *ordre absolu* !

Je balbutiai :

– T-tu veux d-dire que nous allons marcher jusqu'au parc ? Mais, mais... ça fait au moins **deux kilomètres** !

– Tu veux dire que ça fait *seulement* deux kilomètres ! **Ha, haa, haaa !** Ah, Cancoyote,
c'est bien vrai que de nos jours plus personne
n'est habitué à bouger !
Puis Chacal me donna une TAPE sur l'épaule,
qui faillit me faire tomber à terre (et me cabosser
la queue !).

Ha, haa, haaa !

NOUS SOMMES NÉS POUR BOUGER !

Pendant que nous nous dirigions vers le parc, Chacal m'expliqua :

– Le **PROBLÈME**, c'est que plus personne n'est habitué à bouger. Mais, en réalité, nous sommes *nés* pour bouger, Geronimo !

Je haletai (j'étais déjà à bout de souffle) :

– Pouff… pouff… tu crois vraiment ?

– Mais bien sûr ! Réfléchis un peu : nos ancêtres ont évolué en courant !

– Tu veux dire que c'est le mouvement qui a transformé leurs habitudes ?

– Oui ! Ne survivaient que ceux qui couraient vite : pour se procurer du gibier, mais aussi pour se mettre à l'abri des *prédateurs* ! La course, le saut, le lancer, la nage… ont été les premières

et indispensables activités que le primitif a dû apprendre, s'il voulait survivre en se nourrissant, en chassant et en ÉCHAPPANT aux prédateurs. Ainsi, le primitif menait une vie déjà très sportive !

Je réfléchis un moment : Chacal avait raison !

Il poursuivit :

– Au contraire, la société moderne a tendance à éviter tous les mouvements ! Regarde-toi, Geronimo : rien qu'en marchant, tu as le souffle court !

JE ROUGIS.

– Désormais, nous sommes habitués à mille commodités et nous faisons *de moins en moins* de mouvements ! ajouta Chacal.

– **Tu as vraiment raison !** Figure-toi que je n'y avais jamais pensé !

Nous prenons la voiture même pour de brefs trajets…

Il y a des Escalator partout !

… ou bien nous faisons nos courses sur Internet.

Chacal sourit.

– En plus, nous vivons de moins en moins à l'air **libre**. Tu as remarqué ? Il est bien plus facile pour les enfants de faire une pause dans leurs devoirs :

en se vautrant devant l'ordinateur...

...ou bien devant la télévision...

...ou bien devant la console de jeux...

...que d'aller jouer au ballon dans la cour !

Ainsi donc, on bouge moins et on a tendance à grossir ! conclut-il.

– PAR MILLE MIMOLETTES, tu as raison, Chacal ! Et pourtant ça a l'air tout simple !

– Ça l'est ! reprit-il. Il suffit de se remettre à **bouger** davantage ! Autrefois, quand il n'y avait pas de voitures, on allait à pied partout. Aujourd'hui encore, se déplacer à pied est *naturel*, pour les habitants des régions où la

voiture est un luxe. Ainsi il n'est pas rare de faire plusieurs **KILOMÈTRES** pour aller à l'école, et bien que ce soit par nécessité, marcher peut procurer *bien-être* et *sentiment de liberté*. Voilà, Geronimo. Ce qu'il

faut, c'est chercher à retrouver ce *naturel*, cette joie de bouger et de courir. C'est comme un jeu. Et c'est exactement à cela que je vais t'aider !

WAOUH...
QUELLE SURPRISE !

Au bout d'une demi-heure de marche, nous arrivâmes enfin au parc. Nous marchions sur l'un des sentiers lorsque...

– Surprise !

Je m'exclamai :

– Benjamin ! Pandora ! Téa ! Mais que faites-vous ici à cette heure matinale ?!

Téa vint à ma rencontre en *souriant.*

– Frérot, c'est une idée de Chacal.

Elle fit un clin d'œil à mon ami et celui-ci **ROUGIT**... C'était la première fois que je voyais Chacal dans l'*embarras* !

Benjamin m'embrassa.

– C'est vrai, oncle Geronimo. Chacal nous a demandé si nous pouvions venir nous entraîner, nous aussi : comme ça, pour toi, ce sera beaucoup plus facile et AMUSANT.

Pandora poursuivit :

– Oui ! Et il nous a dit que nous aussi nous apprendrions un tas de choses intéressantes et que nous ferions des JEUX rigolos...

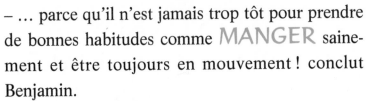

– … parce qu'il n'est jamais trop tôt pour prendre de bonnes habitudes comme MANGER sainement et être toujours en mouvement ! conclut Benjamin.

Je restai sans VOIX. En fait, j'étais presque ému. Encore une fois, je pensai que j'avais une famille et des amis merveilleux !

Je suis un rongeur vraiment chanceux !

IL EST TRÈS IMPORTANT DE FAIRE DU SPORT

Avant que nous ne commencions notre première séance d'entraînement, Chacal expliqua à Benjamin et à Pandora :

– Les enfants, si vous apprenez d'ores et déjà combien il est essentiel de pratiquer un sport, vous deviendrez beaucoup plus *résilients*.

Pandora éclata de rire.

– Chacal, tu t'es trompé ! Tu voulais peut-être dire *résistants* !

– Non, non, Pandora ! Je voulais bien dire *résilients* ! Sais-tu ce qu'est la *résilience* ? C'est la capacité de notre esprit à rebondir. Et justement, le SPORT est important non seulement parce qu'il nous permet d'agir sur notre physique, mais aussi parce qu'il nous aide à devenir psychologiquement plus **FORTS**.

– **Vraiment ?!** demandèrent en chœur Benjamin et Pandora.

– Bien sûr ! Si vous pratiquez un sport, vous devenez plus résistants et plus motivés même devant les **OBJECTIFS** les plus difficiles de votre vie. Souvenez-vous : lorsque vous vous entraînez pour une course, vous sentez la fatigue, mais aussi la tension du fait de votre engagement dans cette activité. Ce sont les mêmes sensations que vous éprouvez à l'**école** quand vous vous préparez à être interrogés ou que vous faites un devoir sur

table. Avec l'**entraînement** sportif, vous découvrirez que vous pouvez toujours y arriver,

parce que l'important, ce n'est pas de gagner, mais d'y mettre tout son cœur, son enthousiasme et son énergie. Bref, vous devez essayer de *donner le maximum* pour ATTEINDRE vos objectifs. Eh bien, cette disposition d'esprit que l'on acquiert avec le sport peut être mise en pratique dans d'autres domaines de la **VIE** ! Voilà pourquoi il est essentiel d'avoir une activité sportive dès le plus jeune âge !

UN PEU D'EXERCICE-JEU POUR SE BOUGER !

Chacal déclara :

– **Parfait, les Cancoyotes !** Nous allons commencer par un peu d'exercice pour apprendre à bouger en s'amusant ! Vous êtes prêts ?!

Nous nous écriâmes tous en chœur :

– **Ouiiiiiii !!!**

– Très bien, je veux que vous restiez toujours comme ça, gonflés à bloc !

Chacal sortit deux ballons et dit:

– Avant tout, il faut s'échauffer les muscles. Mettez-vous deux par deux: Geronimo avec Benjamin, Téa avec Pandora.

Il donna alors un ballon à chaque duo et nous expliqua ce qu'il fallait faire. Nous commençâmes à COURIR tout doucement dans le parc, en nous lançant la balle, en la faisant rebondir comme au basket, et en la rattrapant quand elle nous échappait ou qu'elle atterrissait dans des buissons.

Sans nous en apercevoir, nous réussîmes à courir pendant un quart d'heure, sans jamais nous arrêter et sans éprouver la moindre fatigue. Mais, surtout, en nous AMUSANT de manière assourissante!

TOURBIZARRE

Chacal proposa ensuite :

– Maintenant, toujours deux par deux, vous allez inventer un parcours mixte : avec des obstacles à SAUTER, des points à CONTOURNER obligatoirement, et tout ce qui peut rendre le circuit étrange et mouvementé. Geronimo et Téa, tenez-vous sur la ligne de DÉPART-ARRIVÉE. Benjamin et Pandora devront faire le **parcours** et revenir au point de départ. Quand ils franchiront la ligne, ils taperont dans la main de leur coéquipier, qui attend cela pour partir à son tour. C'est une espèce de **course de relais** ! Mais attention, le but du jeu n'est pas de courir rapidement, mais de faire la course de la manière la plus **bizarre** possible : ainsi, on peut sauter plusieurs fois le même obstacle, ou bien faire un bout du parcours en marche ARRIÈRE, on peut accélérer, ralentir... La seule règle est de... *ne jamais s'arrêter !*

Téa, Benjamin, Pandora et moi, nous commençâmes à ramasser et à disposer tout au long du parcours des **CAILLOUX**, des petits troncs d'arbres, des BRANCHAGES, des pommes de pin, des morceaux d'écorce et d'autres objets mis à notre disposition par la nature.

Et voyez donc le beau circuit que nous avons réalisé !

QUAND VOUS ÊTES FATIGUÉS

« Tourbizarre » dura au moins vingt minutes. À la fin, nous étions tous en SUEUR et ESSOUFFLÉS. Mais nous ne pouvions plus nous arrêter de rire ! Chacal nous expliqua alors :

– Quand vous êtes fatigués, arrêtez-vous et regardez quelque chose de BEAU, pour ne pas penser à la fatigue. Puis écartez un peu les jambes et prenez une profonde INSPIRATION en étirant les bras en l'air. Respirez toujours avec calme et n'oubliez pas : la fatigue disparaît plus vite si, en même temps que vous respirez, vous pensez à des choses qui vous plaisent ! Deux ou trois respirations suffiront et vous vous sentirez déjà mieux. De même, quand vous commencez à être moins fatigués, essayez de courir en faisant des pas plus petits, comme ceux d'une **FOURMI**, puis laissez retomber vos bras le long de vos hanches, en respirant profondément. Vous verrez que, en très peu de temps, la fatigue DISPARAÎTRA !

L'ÉCREVISSE

Puis Chacal proposa :

– Maintenant que vous vous êtes **reposés**, vous allez faire un nouvel exercice. Mettez-vous encore deux par deux : Geronimo avec Benjamin, Téa avec Pandora. Geronimo devra courir lentement en marche arrière, tandis que Benjamin courra face à lui, à la même vitesse, et ils se

PASSERONT le ballon. Téa, en marche arrière, et Pandora, dans le sens normal, feront de même. Quand Benjamin et Pandora crieront « *ÉCREVISSE* », vous inverserez les rôles.

« Benjamin et Pandora devront alors s'élancer et dépasser Geronimo et Téa, qui pivoteront aussitôt sur eux-mêmes et avanceront désormais dans le bon sens.

« Tout cela doit se dérouler sans que le ballon touche terre ! C'est un jeu où l'on gagne ensemble !

LE STRETCHING

Après le jeu de l'écrevisse, Chacal nous *sourit* et conclut :

– À la fin de chaque entraînement, il est utile de faire un peu de *stretching*, c'est-à-dire d'étirer ses muscles. Je vais vous apprendre les exercices, suivez-moi !

1) Appuyez les mains contre un **MUR**, comme si vous deviez le pousser. Étirez une jambe, puis l'autre, pendant 30 secondes chacune. Vous devez sentir vos mollets TIRER… mais n'y allez pas trop fort : cela pourrait entraîner une déchirure musculaire !

2) Appuyez une main contre le mur, pliez la jambe opposée comme pour toucher le bas de votre dos avec le talon ; prenez votre cheville dans la main et gardez cette position pendant 1 minute. Vous devez sentir votre cuisse TIRER (modérément).

3) À présent, ↓**ASSEYEZ-VOUS**↓ par terre. Allongez la jambe droite et pliez la gauche de manière que la plante des pieds touche l'intérieur de la cuisse de la jambe étendue. Attrapez la cheville de la jambe droite et gardez cette position pendant 1 minute. Puis changez de jambe. Vous devez sentir la jambe étendue TIRER. Là aussi, faites attention aux déchirures !

ÇA SUFFIT POUR AUJOURD'HUI !

Qu'est-ce qu'on s'était AMUSÉS ! Nous ne nous étions même pas aperçus que la matinée s'était écoulée. Pour moi, ç'avait été comme de redevenir enfant, quand je passais toute la journée dans la cour ou au parc à jouer avec mes amis, si bien que le soir j'étais épuisé et heureux !

Chacal nous proposa de boire de l'EAU, regarda sa montre et dit :

– Bien, ça suffit pour aujourd'hui ! On se revoit demain, mais, cette fois, en fin d'APRÈS-MIDI, à la plage. Comme ça, nous changerons de scénario… et de terrain. Et demain soir, au dîner, nous pourrions tous nous retrouver chez toi, Cancoyote. J'ai quelques petites choses à vous expliquer sur l'alimentation. Toi, Cancoyote, ça te sera utile pour maigrir et pour apprendre à mieux manger...

Puis il s'adressa à Benjamin et Pandora :

– ... tandis que vous, les enfants, ça vous permettra de comprendre et de prendre tout de suite les bonnes **habitudes** à table !

BOÏNG-BOÏNG-BOÏNG

Le lendemain, nous nous retrouvâmes tous à la plage. J'avais les muscles un peu **ENDO-LORIS**, mais je me sentais plus énergique que la veille. Chacal paraissait satisfait de ses élèves.

– Bien ! dit-il. On va commencer tout de suite par un jeu, pour s'**ÉCHAUFFER**. Ça s'appelle « boïng-boïng-boïng ».

Nous éclatâmes de rire, et Pandora s'exclama :

– Quel nom rigolo !

– Et tu vas voir que, toi aussi, tu seras rigolote quand tu y joueras ! lui répondit Chacal.

Et il enchaîna :

– Vous devez **SAUTILLER** sur une jambe pendant un moment. Mais, brusquement, je vous donnerai l'ordre de changer de jambe ou de rythme. Commencez donc à sautiller sur la jambe gauche !

Nous commençâmes, et je dois

dire que, dans le SABLE, c'était assez difficile ! Au bout d'un moment, Chacal hurla :

– Maintenant, changez de jambe !

Et tout le monde se mit à sautiller sur la jambe droite. Puis Chacal hurla :

– Maintenant, avancez en **zigzag** !

Nous sautillâmes de droite à gauche, et parfois nous nous tamponnions les uns les autres, mais c'était très amusant !

– Et maintenant, en marche ARRIÈRE sur la jambe gauche !...

... En AVANT, deux sauts sur la jambe droite puis deux sauts sur la gauche !...

... En marche ARRIÈRE sur la jambe droite !

Chacal nous bombardait d'ordres, si rapidement que nous avions bien du mal à les suivre. Mais c'était surtout parce que nous étions morts... de rire !

FARTLEK

Après l'échauffement, nous fîmes une bonne demi-heure de *COURSE* sur la plage.

Chacal nous expliqua :

– Il est plus fatigant de courir sur le sable. Ne soyez donc pas inquiets si vous sentez que vos gambettes sont « en bouillie » !

En effet, nous avions l'impression que nos jambes *BRÛLAIENT* !

Chacal continua :

– Nouvel exercice : vous allez courir… en liberté, sur toute la PLAGE, tantôt en accélérant, tantôt en ralentissant. Vous devez courir comme le font les enfants : en vous amusant ! Ce style de course avec changements de rythme s'appelle le *fartlek*. Contrairement aux autres sports, il laisse la **liberté** de courir sans qu'une distance prédéterminée soit fixée, sans qu'un rythme soit imposé. Les enfants sont champions dans ce genre de course et, une fois de plus, ce sont eux qui nous enseignent les choses les plus vraies !

DORS, DEBOUT, DÉBOULE !

Chacal nous tendit ensuite deux ballons et annonça :

– Maintenant, vous allez courir lentement par deux et vous passer la balle, comme au basket.

À un moment donné, celui qui n'a pas la balle dira : **DORS, DEBOUT, DÉBOULE !** Celui qui a la balle la lui passera.

« Celui qui la reçoit s'*ÉLANCERA*, tandis que celui qui vient de la perdre s'arrêtera, s'allongera par terre (1), puis se relèvera et poursuivra celui qui a la balle, jusqu'à lui *toucher* le dos (2).

« C'est alors seulement que vous échangerez la balle et vous remettrez à COURIR lentement, prêts à inverser les rôles.

À CE SOIR,
AU DÎNER !

Cette nouvelle JOURNÉE d'entraînement touchait à son terme. Nous étions vraiment épuisés (nous venions de découvrir que courir sur le sable est très fa-ti-gant !), mais heureux.

Nous avions passé l'après-midi ensemble, en plein **air**, à nous amuser. Et tout cela grâce à Chacal !

Pour être sincère, je dois reconnaître que je n'aurais jamais pensé que s'**entraîner** soit aussi agréable !

Et tous mes compagnons d'aventure (et d'entraînement) étaient d'accord avec moi.

Benjamin s'écria, enthousiaste :

– Chacal, ces entraînements sont vraiment assourissants. Non seulement nous nous amusons, mais en plus nous découvrons un tas de choses **passionnantes** ! Je suis pressé de tout raconter à mes amis à l'école !

Pandora acquiesça :

– Tu as raison, Benjamin ! Bouger pour retrouver la **FORME**, comme le fait Geronimo, c'est important aussi pour nous. C'est sûrement plus facile de s'habituer, enfant, à vivre de manière plus saine !

Téa conclut, amusée :

– C'est vrai, Chacal ! Tu es un gars, *ou plutôt un rat*, sensationnel ! Mais ne devions-nous pas nous voir au **dîner** ce soir ?

Chacal devint tout **ROUGE** et se mit à bégayer (oui, vous avez bien compris, CHACAL en personne ! Je n'en croyais pas mes oreilles…) :

– Euh… c-ce soir ? Au d-dîner ? T-toi et m-moi, Téa ?

Téa eut un sourire.

– Mais non, tu ne te rappelles pas ? C'est *toi* qui avais proposé que nous nous retrouvions tous **ENSEMBLE** à dîner chez Geronimo, pour apprendre les règles d'une bonne **ALIMENTATION** !

Chacal, déçu, soupira :

– Ah... ben... oui... tu as raison, Téa, bien sûr bien sûr !

Je souris.

– Pas de problème pour moi, Chacal. Alors je vous attends tous chez moi ce soir !

– Oui, mais c'est moi qui apporte la nourriture, déclara Chacal. Et nous suivrons ce cours de bonne alimentation en CUISINANT tous ensemble ! C'est la meilleure manière d'apprendre !

Benjamin et Pandora s'exclamèrent :

– HOURRA ! On va tous manger chez oncle Geronimo !

TOUS EN CUISINE !

Je rentrai chez moi. Avant de passer sous la **douche**, je me pesai : l'aiguille de la balance avait déjà reculé ! Et ce n'était qu'un début !
Tout **content**, je pris une bonne douche, en chantant sous l'eau chaude qui coulait !

– Tralalère… Tralalala !

Je finissais juste de m'habiller quand j'entendis la **sonnette**.

Mes invités étaient arrivés !

J'allai ouvrir et, derrière une **montagne** de sacs de provisions, je vis pointer deux jambes que je connaissais bien et j'entendis une voix qui m'était *familière* :

– **Allez, Cancoyote**, laisse-moi entrer ! J'ai apporté tout ce qu'il faut pour cuisiner et nous allons préparer un repas délicieux... Sans renoncer à rien !

J'accompagnai Chacal à la *cuisine* ; à ce

moment, on sonna de nouveau à la porte : c'étaient Téa, Pandora et Benjamin.

– **_Tonton, petit tonton !_** C'est génial de dîner tous chez toi ! Encore merci ! s'écria Benjamin.

Chacal passa la tête à la porte de la cuisine et dit :

– Allez, tout le monde avec moi pour préparer le repas !

LES RÈGLES D'UNE BONNE ALIMENTATION

Nous passâmes **TOUS** en cuisine; Chacal vida ses sacs de provisions sur la table. Puis il attribua à chacun une tâche à accomplir:

– Cancoyote, tu prépareras le **POISSON** et le dessert. Téa s'occupera de l'entrée. Pandora et Benjamin, des fruits et des légumes, car il faut en manger à chaque repas!

Pandora demanda:

– Pourquoi est-ce aussi **important**?

Chacal répondit:

– Les fruits et les LÉGUMES sont indispensables à une alimentation équilibrée, parce qu'ils apportent des vitamines, des minéraux et des fibres qui nous aident à aller aux toilettes, qui stimulent la digestion

Menu

Entrée
Assiette de crudités

Plat principal
Poisson au four avec
citron et persil

Accompagnement
Pommes de terre et
légumes de saison

Dessert
Fromage blanc au miel

... et pour finir
Fruits frais de saison

et **RENFORCENT** notre système immunitaire. Il vaut d'ailleurs mieux consommer des fruits de **SAISON**, provenant de l'agriculture biologique et mûrs à point.

Pendant que Chaçal nous donnait ces explications, nous *grignotions* les légumes qu'avait lavés Pandora. *Délicieux !*

Céleris

Carottes

Salades

Concombres

Ananas

Prunes

Agrumes

Pêches

Abricots

Kiwis

Papayes

Fraises

Poires

Pommes

Bananes

Pastèque

Melon

Chacal continua :

– Autre conseil très précieux : **PRÉFÉRER LES ALIMENTS COMPLETS**. Ils sont sains et plus nourrissants que dans leur version « raffinée ». C'est pourquoi il faut, dans la mesure du possible, remplacer le pain blanc, les **PÂTES** de base, le **RIZ** blanc, les céréales perlées, les biscuits et les crackers de farine blanche, les **FLOCONS** de céréales raffinées par leur version intégrale !

Enfin, mon ami dit :

– Essayez de conserver toujours une alimentation **VARIÉE** et **ÉQUILIBRÉE**, ce qui veut dire qu'il faut manger un peu de tout dans de justes proportions. Il est important de répartir les **2 000 calories** quotidiennes entre les différents repas, et de préférence dans la première partie de la journée (petit déjeuner et déjeuner), de manière à doser au mieux les apports d'énergie pour votre organisme.

«En outre, chacun des deux repas **principaux** (déjeuner et dîner) doit comporter des glucides et des protéines. En ce qui concerne les GLUCIDES, vous pouvez choisir parmi tous ces aliments (de préférence dans leur version intégrale!):

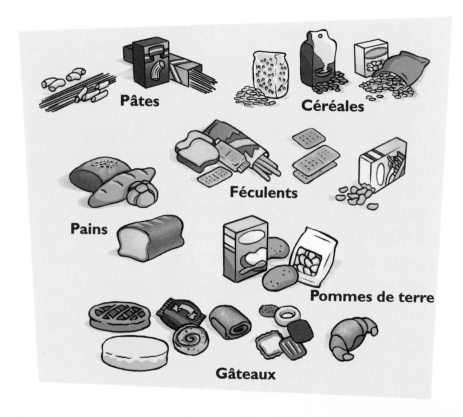

Pâtes

Céréales

Féculents

Pains

Pommes de terre

Gâteaux

« Pour les **protéines**, vous pouvez choisir parmi ceux-ci :

Poisson   Viandes

Légumineuses

Œufs   Fromages

Fruits secs

Une solution pour respecter cet équilibre est de préparer un MONOPLAT, c'est-à-dire de partager le plat en trois parties : sur un tiers, les protéines ; sur un autre, les glucides ; et sur le dernier, des LÉGUMES, sans jamais oublier les fruits frais.

Protéines

Glucides

Légumes

Fruits frais

« Il y a des aliments qui à eux seuls représentent un monoplat : par exemple, une bonne assiette de **PÂTES** à la sauce bolognaise ou des **LASAGNES** aux légumes !

J'en avais l'eau la bouche, mais le repas n'était pas encore prêt…

Chacal conclut :

– Enfin, rappelez-vous qu'il est important de boire beaucoup d'*eau* pendant la journée, de ne pas abuser du **sucre** et du sel, d'éviter les aliments trop gras (comme les frites) et les boissons *gazeuses*.

Tout le monde
à table !

Après cette belle leçon de Chacal sur les règles de la bonne **ALIMENTATION**, nous passâmes enfin tous à table pour le dîner !

Nous mangeâmes plein de LÉGUMES de toutes sortes (des crudités et cuits), des POMMES DE TERRE, un **POISSON** au four avec du CITRON et du persil, et des fruits de saison.

Pour finir, Chacal nous avait fait préparer un délicieux fromage blanc avec un peu de miel.

Bref, un régal !

QUE MANGER AU GOÛTER ?

Pendant que nous étions à table, Pandora demanda à Chacal :

– Quel est le meilleur **goûter** pour une alimentation saine et équilibrée ?

Mon ami répondit :

– **Bravo, Pandora !** Ta question est celle d'une petite souris vraiment avisée !

Au goûter, vous pouvez manger :

▶ des **fruits** frais ;

▶ des légumes frais (par exemple, une carotte, ou bien du pain et des **tomates cerises**) ;

▶ un **yaourt nature** sucré avec du miel et des raisins secs, ou un yaourt aux fruits frais ;

▶ du pain complet avec du fromage ;

▶ des biscottes avec de la **confiture** sans sucre ni miel ;

▶ ... et boire du JUS DE FRUITS naturel et centrifugé.

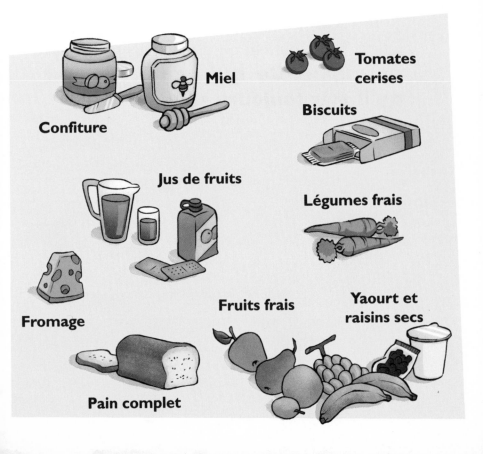

Confiture

Miel

Tomates cerises

Biscuits

Jus de fruits

Légumes frais

Fromage

Fruits frais

Yaourt et raisins secs

Pain complet

Et il conclut :

– Mais l'idéal, les enfants, c'est la « rotation » des goûters. Par exemple : des biscuits complets avec une barre de chocolat quand vous avez sport, des jus de fruits et un yaourt quand il fait chaud, un morceau de **pain** et du fromage quand vous n'avez pas beaucoup de temps. Bref, l'objectif est d'adapter le goûter aux circonstances. **Ce qui compte, c'est qu'il soit toujours sain.**

L'ENTRAÎNEMENT CONTINUE...

Le lendemain, nous nous retrouvâmes encore pour une séance d'entraînement.

Cette fois, Chacal nous avait donné rendez-vous au terrain de sport. C'était génial de changer chaque fois de décor! Chacal nous dit bonjour et nous fit aussitôt travailler en nous apprenant de nouveaux exercices : l'**APLATIVENTRE**, l'**OUVERT ET FERMÉ**, la **COURSE SAUTILLÉE** et le **TAPONS-TALON**, le **BRASMENTOMBE**, l'**UN COUP PAR-CI UN COUP PAR-LÀ** et l'**AVION**...

Vous voulez les apprendre?

Alors lisez les pages suivantes!

APLATIVENTRE

Chacal nous dit :

– Benjamin et Pandora, ALLONGEZ-vous par terre, sur le dos et avec les jambes légèrement fléchies. Geronimo et Téa, tenez-leur fermement les pieds. Benjamin et Pandora doivent ↑REDRESSER↑ un peu le dos, presque jusqu'à s'asseoir. C'est un excellent exercice pour les ←abdominaux !

98

OUVERT ET FERMÉ

« Maintenant, en partant de la position debout avec les jambes serrées et les bras le long du corps, c'est-à-dire une position **FERMÉE**, passez d'un coup à une position **OUVERTE**, en écartant les jambes et en tendant les bras au-dessus de la tête, les paumes de vos mains se touchant. Puis retournez rapidement à la position **FERMÉE**, et recommencez. Il est important d'exécuter cet exercice de la manière la plus **FLUIDE** possible.

FERMÉ

OUVERT

COURSE SAUTILLÉE

« Sautillez maintenant alternativement sur la POINTE des pieds, en restant bien droit, et levez les genoux le plus haut possible. *GERONIMOOO !!!* Plus haut, les genoux ! Prends exemple sur Téa ! Elle est géniale ! Et ne fais pas le malin !

Je pensai : « Évidemment qu'elle est géniale ! C'est une sportive-née ! Moi, je suis une souris intellectuelle ! **SNIF !**»

TAPONS-TALON

– Toujours en **sautillant** sur la pointe des pieds, et en tenant les bras bien tendus dans votre dos, vous devez faire en sorte que votre talon droit touche votre main droite et vice versa. Bref, vous devez vous donner des *coups de pied*... dans l'arrière-train ! Cancoyote, tu veux que je t'aide ?! Tout le monde éclata de rire et je répondis fièrement :

– Non ! Merci !

BRASMENTOMBE

– Maintenant, reprit Chacal, pendant que vous sautillez, laissez *tomber* vos bras, comme si vous étiez des marionnettes. Cet exercice sert à vous DÉTENDRE les épaules et les bras quand ils sont un peu **CONTRACTÉS**.

UN COUP PAR-CI UN COUP PAR-LÀ

«Puis, les jambes légèrement écartées, faites des TORSIONS du buste à droite et à gauche en levant les bras.

AVION

« Enfin, tout en **COURANT** avec souplesse, faites *tournoyer* vos bras, l'un après l'autre ou les deux ensemble, dans les deux **SENS**, comme une hélice, conclut Chacal.

LES SEMAINES S'ÉCOULÈRENT...

Les semaines s'écoulèrent. Je continuais à m'exercer avec mes camarades d'entraînement (peut-être devrais-je dire : mes camarades *de jeu* !). Chacal nous suivait toujours, mais nous étions désormais capables de nous entraîner tout seuls. J'avais changé mes **habitudes**. Ma journée commençait toujours par un copieux petit déjeuner.

Au déjeuner, je mangeais de manière saine. Et en sortant du bureau, je retrouvais ma famille et mes

amis au P∧R℃ (ou à la plage, ou au terrain de sport… peu importait l'endroit, pourvu que ce soit en plein **air** !). Benjamin et Pandora avaient entraîné leurs amis, et nous pûmes bientôt former une **équipe** assourissante !

Nous nous entraînions en nous amusant, comme nous l'avait enseigné Chacal. Nous exécutions les exercices de mieux en mieux et en nous fatiguant de moins en moins. Nos MOUVEMENTS étaient fluides et nous n'étions essoufflés que longtemps, très long-temps après avoir commencé (même pour une souris PARESSEUSE comme moi !).

À un moment donné, il se passa quelque chose d'inattendu : c'est *nous*, désormais, qui nous mîmes à inventer de nouveaux exercices ou à modifier les premiers, avec des variantes de plus en plus AMUSANTES.

Chacun de nous faisait des propositions ; puis nous adaptions et COMBiNiONS toutes les idées, selon nos envies.

Et moi ? Je ne m'étais jamais senti aussi *éner-gique* et en forme.

Le soir, je prenais un repas bien équilibré et, avant de me coucher, je buvais une bonne tasse de  !

L'ÉPREUVE
DE LA BALANCE !

Durant tous ces jours, je m'étais tellement passionné pour mon nouveau (et sain!) style de *vie* que j'avais complètement oublié *pourquoi* je m'étais lancé dans cette aventure:
pour affronter l'épreuve de la balance!

C'est vrai! Depuis quelque temps, je ne m'étais plus pesé! Ainsi donc, le matin du **5 JUIN**, je me levai, allai dans ma salle de bains et regardai furtivement la balance. Je montai dessus, en souriant cette fois et pas du tout inquiet.

Je n'en crus pas mes yeux :

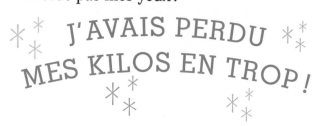

J'AVAIS PERDU MES KILOS EN TROP !

Mais la grande nouvelle, c'était que je me sentais très bien et vraiment plein d'**énergie**. Et c'était là le plus important !

DESTINATION : AUSTRALIE !

Enfin arriva le jour de notre **départ** pour l'Australie, où nous serions les hôtes de **Dakota Spring**, le frère de Patty. Nous allâmes tous à l'aéroport (Chacal s'était joint à nous : il ne pouvait pas rater cela !) et nous embarquâmes à bord d'un **AVION** pour un voyage qui devait durer de nombreuses, de très nombreuses heures.

Vous n'allez pas le croire : dans ma valise, en plus de mes maillots de bain, de mes vêtements et de quelques **livres**, j'avais glissé mes (désormais) indispensables... CHAUSSURES de sport !

À l'aéroport de Sydney, où nous débarquâmes après le vol, Dakota nous attendait.

Notre **SÉJOUR** en Australie commença ! Ce furent vraiment des vacances assourissantes, pleines de **MOUVEMENT** et d'**AVENTURE**. Bien sûr, j'étais toujours aussi froussard. Au bout du compte, je suis un gars, *ou plutôt un rat*, intellectuel !

Mais les **ÉMOTIONS** furent innombrables et incroyables. Dakota et Patty nous guidèrent dans toute l'Australie, nous vîmes des kangourous et des koalas...

EXCURSION À AYERS ROCK !

UNE PHOTO SOUVENIR !

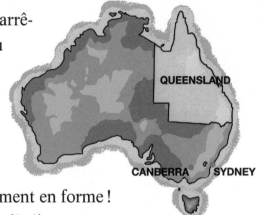
Et lorsque nous nous arrê-
tâmes sur la côte du
Queensland pour
profiter un peu de
la **mer**, Patty me
regarda et me dit :
– *Par mille mimo-
lettes, G !* Tu es vraiment en forme !
Puis elle me fit un clin d'œil.

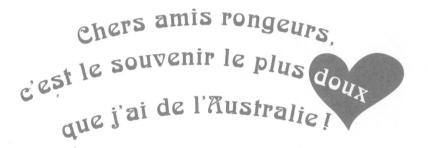

Chers amis rongeurs,
c'est le souvenir le plus doux
que j'ai de l'Australie !

CHERS AMIS...

Chers amis rongeurs, vous avez vu comme il est simple de changer ses règles de vie pour adopter un style plus sain ?

Même un paresseux tel que moi y est parvenu !

Alors pourquoi ne pas essayer d'entraîner vos parents, vos oncles, vos cousins... bref, tous vos parents et amis, dans ce JEU ? Demandez-leur de surmonter leur paresse, d'aller mettre un survêtement, d'enfiler une paire de chaussures de sport et de sortir, d'exécuter les exercices que j'ai faits avec Téa, Benjamin et Pandora !

MARCHEZ !
COUREZ !
BOUGEZ !

Et, à table, suivez les règles de la bonne alimentation que nous a apprises Chacal. Vous verrez le résultat !

Parole de Stilton, *Geronimo Stilton* !

LES CONSEILS DE CHACAL POUR RESTER EN FORME

1) Quand tu le peux, déplace-toi à pied ou à bicyclette : ainsi, tu fais un peu d'exercice et tu ne pollues pas !

2) Pratique un sport qui te passionne vraiment : si l'entraînement est amusant, tu ne t'ennuieras pas !

3) Joue avec tes amis en plein air : ensemble, vous pourrez inventer plein de nouveaux jeux pour rester en forme !

4) Bois beaucoup d'eau durant toute la journée : en effet, notre corps est composé à 70 % de liquide !

5) Mange un peu de tout dans de justes proportions : la nourriture est notre « carburant » pour étudier, pour pratiquer un sport et pour jouer !

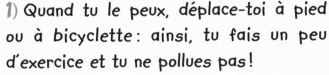

TABLE DES MATIÈRES

Geronimo Stilton

DANS LA MÊME COLLECTION

65 LE SECRET DU KARATÉ

66 LE MONSTRE DU LAC LAC

67 S.O.S. SOURIS EN ORBITE !